Argraffiad Cymraeg cyntaf: Ebrill 2001
Hawlfraint Cymraeg: Cymdeithas Lyfrau Ceredigion Gyf. © 2001
Addasiad Dylan Williams
Cyhoeddwyd gan Gymdeithas Lyfrau Ceredigion Gyf.,
Ystafell B5, Y Coleg Diwinyddol Unedig, Stryd y Brenin,
Aberystwyth, Ceredigion SY23 2LT.
Cedwir pob hawl.
Teitl gwreiddiol: *Oomph!*
Hawlfraint y testun a'r lluniau gwreiddiol © 2001 Colin McNaughton
Y mae hawl Colin McNaughton i'w gydnabod fel Awdur a Darlunydd y llyfr hwn wedi ei
nodi ganddo yn unol â'r Copyright, Designs and Patents Act, 1988. Cyhoeddwyd gyntaf ym
Mhrydain yn 2001 gan Andersen Press Ltd., 20 Vauxhall Bridge Road, Llundain SW1V 2SA.
Gwahanwyd y lliwiau gan Fotoriproduzioni Beverari, Verona.
Argraffwyd a rhwymwyd yn yr Eidal gan Grafiche AZ, Verona.
Cysodwyd gan Wasg Gomer, Llandysul SA44 4BQ.
ISBN 1-902416-41-4
Argraffwyd y llyfr ar bapur di-asid.

Colin McNaughton

Wmff!

CYMDEITHAS LYFRAU CEREDIGION GYF

I ffwrdd â ni am wyliau bach, lawr ar lan y môr… canai mam a thad Meurig wrth iddyn nhw ddechrau ar wythnos o ymlacio.

Dwi'n mynd hefyd!

'Meddyliwch am y peth,' meddai Meurig. 'Haul, môr, tywod...'
'A selsig!' meddai Mister Blaidd.

O'r diwedd fe gyrhaeddon nhw.
Dwy waith yn unig y taflodd
Meurig i fyny yn ystod y daith,

O, hedfan meistraidd!

a dim ond tri deg saith o
weithiau y gofynnodd,
'Ydan ni yno eto?'

Gwisgodd Meurig ei drowsus nofio, taro'i het haul am ei ben, slabran hufen haul ar ei gorff, a brasgamu ar draws y tywod. Yn sydyn!

'Pam nad edrychi di i ble rwyt ti'n mynd?' dwrdiodd y ferch fach.

'Sori,' meddai Meurig.

'Wyt ti'n iawn?'

'Am wn i,' meddai'r ferch. 'A ti?'

'Ww… Mae 'nhrwyn i'n brifo,' meddai Meurig.

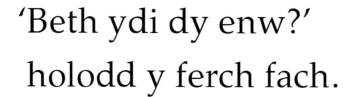

'Beth ydi dy enw?'
holodd y ferch fach.
'Meurig,'
meddai Meurig.
'A dy un di?'
'Megan,' meddai Megan.
'Ond mae pawb yn fy ngalw
i'n Meg. Ti'n dew.'
'Diolch,' meddai Meurig.
'Rwyt ti'n llond dy groen hefyd.

Dwi'n hoffi dy
wisg nofio.'
'Diolch,' meddai
Meg, ac fe wnaeth
birwét bach.

'Sut mae dy drwyn?' holodd Meg.

'Yn boenus,' meddai Meurig.

'Sws i'w wella!' meddai Meg.

Ac fe gafodd Meurig sws.

'Ti'n gwrido!' meddai Meg.

'Llosg haul,' meddai Meurig.

'Ti'n ddoniol,' meddai Meg.

'Awydd chwarae?' holodd Meurig.

Dydd Sul oedd y diwrnod nesaf…

Cododd Meurig ben bore er
mwyn cael chwarae gyda Meg.
'Beth am godi cestyll,' meddai Meg.
A dyna wnaethon nhw.

Dywedodd Meg mai achubwr oedd ei thad, ac y byddai hi'n treulio'r haf i gyd ar y traeth. 'Ti'n lwcus!' meddai Meurig.

Syrffio wnaethon nhw ddydd Llun…

'Ton!' gwaeddodd Meg.

'Ton-ton-ton-dyri-ton-ton-ton!'
canodd Meurig.

'Gwirion!' meddai Meg.

Ac yna, 'Sut mae
dy drwyn?'

'Yn dyner!'
gwaeddodd Meurig.

'Sws i'w wella?'
gwaeddodd Meg.

'Ras am y lan!'
gwaeddodd Meurig.

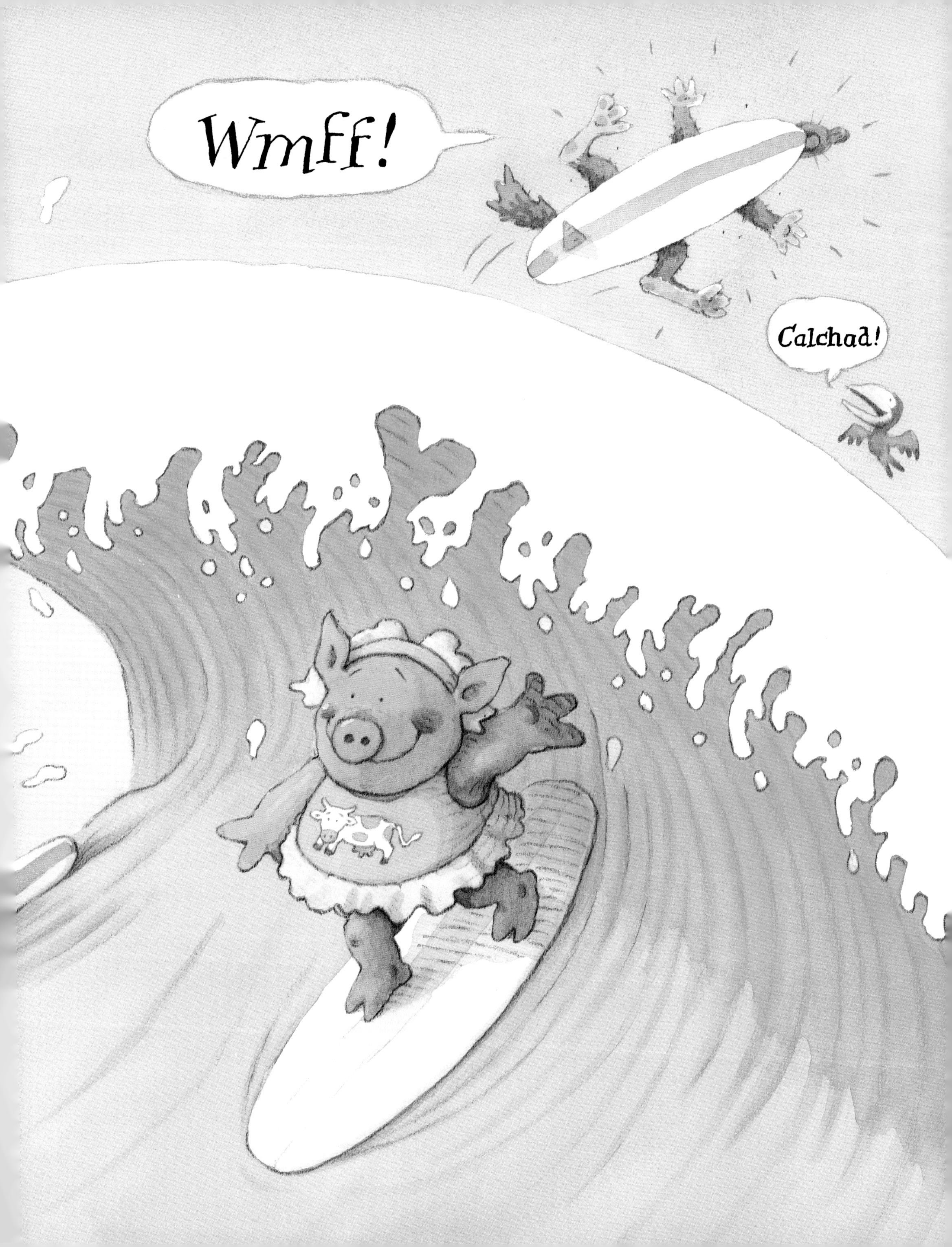
Wmff!
Calchad!

Ddydd Mawrth fe balon nhw dwll...

'Sut mae dy drwyn?' holodd Meg.

'Yn dal i frifo,' meddai Meurig.

'Sws i'w wella?' holodd Meg.

'Diolch, nyrs!' meddai Meurig.

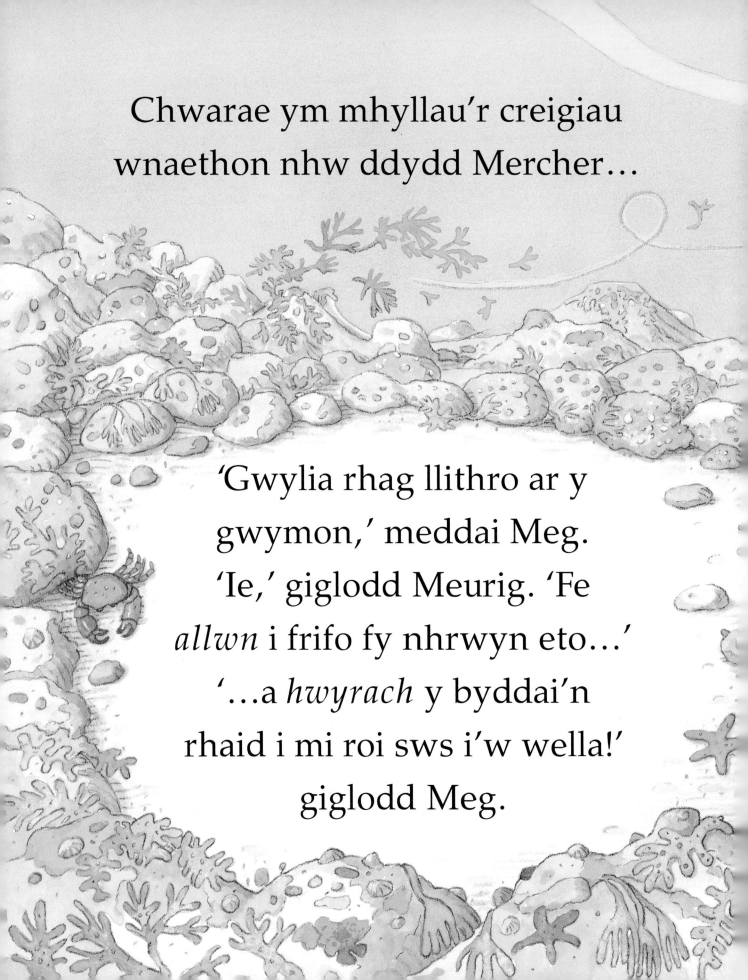

Chwarae ym mhyllau'r creigiau wnaethon nhw ddydd Mercher…

'Gwylia rhag llithro ar y gwymon,' meddai Meg. 'Ie,' giglodd Meurig. 'Fe *allwn* i frifo fy nhrwyn eto…' '…a *hwyrach* y byddai'n rhaid i mi roi sws i'w wella!' giglodd Meg.

Hwylio wnaethon nhw ddydd Iau…

'Gobeithio dy fod ti wedi rhoi digon o hufen haul ar dy drwyn,' meddai Megan, 'neu …'

'… *hwyrach* y bydd angen sws i'w wella!' chwarddodd Meurig.

Snorclo wnaethon nhw
ddydd Gwener ...

Ac ar ddydd Sadwrn fe ddywedon nhw hwyl fawr ...

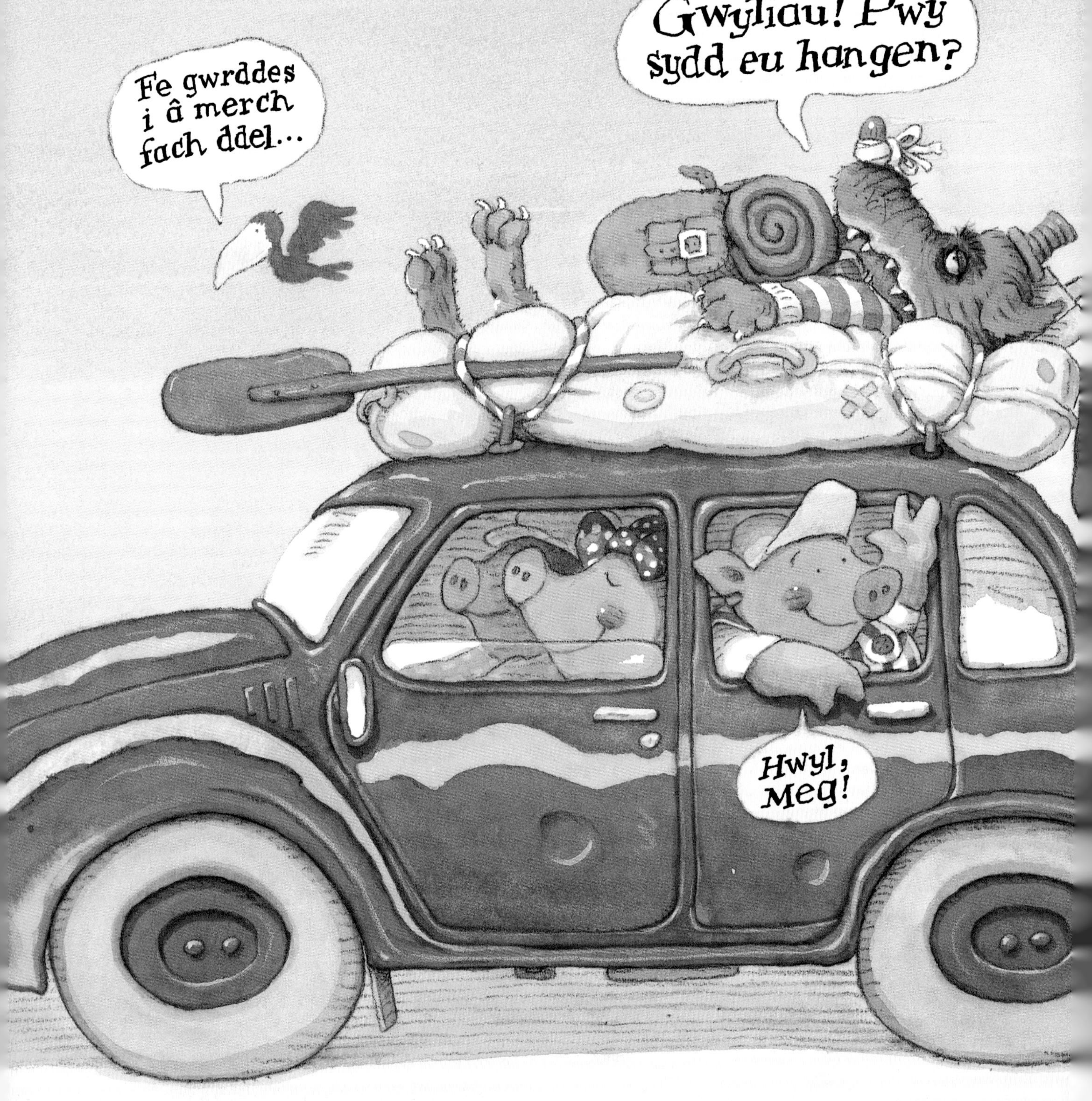

'Tyd yn ôl yn fuan!'
gwaeddodd Meg.
'Cyn gynted ag y galla i!'
gwaeddodd Meurig.
'Meurig!' gwaeddodd Meg.
'Wyddet ti bod blaidd ar
do dy gar?'
'O, doniol iawn!'
gwaeddodd Meurig.
'Hwyl, Meg.
Mi sgrifenna i
atat ti!'

Hwyl,
Meurig!

A dyma beth sgrifennodd …

Annwyl Meg,
Dwi gartref rŵan,
ac mae 'nhrwyn i'n
well, diolch i ti
(gwrid, gwrid).
Fe hoffwn i pe
bawn i'n dal ar lan y
môr efo ti. Ges i'r
amser gorau erioed.
Diolch am fod yn
ffrind i mi. Dwi'n
gweld dy golli di.
Cariad, Meurig
x x x